SIRK İTLƏRI ATLAN VƏ TOPLAN

Sirk İtləri Atlan və Toplan

Hekayə müəllifi ***Tuula Pere***
Şəkil müəllifi ***Francesco Orazzini***
Tərtibat müəllifi ***Peter Stone***
Azərbaycan dili tərcümə edən ***Taleh Kərimov***

ISBN 978-952-357-423-6 (Hardcover)
ISBN 978-952-357-424-3 (Softcover)
ISBN 978-952-357-425-0 (ePub)
Birinci nəşr

2021-ci ildə Wickwick Ltd tərəfindən çap edilib.
Helsinki, Finlandiya

Circus Dogs Roscoe and Rolly, Azerbaijani Translation

Story by ***Tuula Pere***
Illustrations by ***Francesco Orazzini***
Layout by ***Peter Stone***
Azerbaijani translation by ***Taleh Kərimov***

ISBN 978-952-357-423-6 (Hardcover)
ISBN 978-952-357-424-3 (Softcover)
ISBN 978-952-357-425-0 (ePub)
First edition

Published 2021 by Wickwick Ltd
Helsinki, Finland

Originally published in Finland by Wickwick Ltd in 2015
Finnish "Sirkuskoirat Roope ja Rops", ISBN 978-952-325-058-1 (Hardcover), ISBN 978-952-325-558-6 (ePub)
English "Circus Dogs Roscoe and Rolly", ISBN 978-952-325-057-4 (Hardcover), ISBN 978-952-325-557-9 (ePub)

Sirk İtləri Atlan və Toplan

Tuula Pere • Francesco Orazzini

WickWick
Children's Books from the Heart

Yaşlı sirk iti Atlan pərdədən boylanaraq işıqlandırılmış səhnəyə göz yetirdi. Oturacaqlar şounun başlamasını səbirsizliklə gözləyən şən kütlə ilə dolmuşdu.

Atlan bu gecə tamaşaçılar arasında çoxlu sayda uşaq görməkdən məmnun idi. Qoca it ən gözəl fəndlərini xüsusilə balacalara göstərməkdən həzz alırdı. Yaşlı olmasına baxmayaraq o, çıxış etməyə həvəsli idi. Onun həyatını daha əyləncəli edən Toplan adlı balaca şagirdinin olması idi.

Artıq Toplan da orada idi və balaca quyruğunu bulayaraq cəlbedici qoxularla dolu havanı iyləyirdi.

Atlan və Toplan çox gözəl cütlük idi. Onlar fəndlərini tədricən bir-biri ilə əvəz edirdilər. Dəliqanlı və cəld olan Toplan çeviklik tələb edən fəndləri etməyə başlamışdı. İndi o, yüksək tirlərin üzərində müvazinətini saxlayaraq gəzir və alovlu halqaların içindən tullanırdı.

Yaşlı Atlan daha təhlükəsiz, xüsusən də yastıqda rahat şəkildə oturaraq suallara yumşaq səslə cavab verə biləcəyi fəndlərə üstünlük verirdi. Toplanın rəqəmlərlə bağlı hələ də çox yaxşı zehni var idi.

Atlan və Toplan mələz idilər və tanınmış bir nəslin nümayəndələri və ya böyük mükafat sahibi deyildilər. Lakin onların hər ikisi bundan daha da dəyərli bir şeyə sahib idilər: "qızıl ürəyə". Onlar xoş təəssürat bağışlayırdılar və maraqlı fəndləri uşaqları həqiqətən də sevindirirdi. Sirkin direktoru da öz növbəsində buna dəyər verirdi, çünki razı qalan kütlə artan mənfəət demək idi.

Atlan bilirdi ki, direktor mehriban insandır, lakin eyni zamanda çox xırdaçıdır. Sirkin hər bir üzvü öz maaşını alın təri ilə qazanmalı idi.

Direktor tez-tez deyərdi: "Heç kimə işsiz dayanmağına görə pul verilmir."

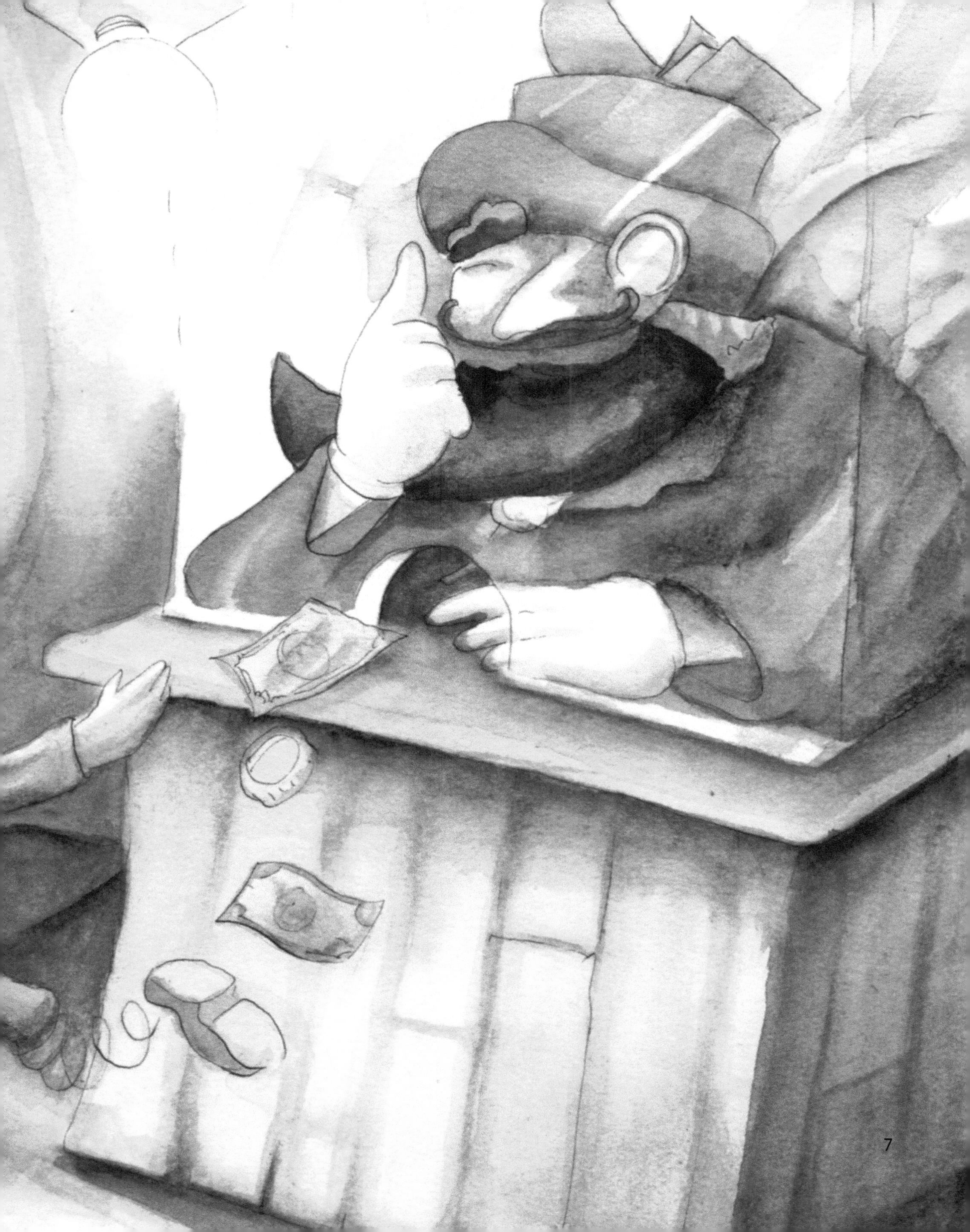

Günlər ötdü, aylar keçdi, daha bir yaz yaya və daha bir yay payıza döndü. Atlan gündən-günə daha da boz rəng alırdı; onun tükləri əvvəlki kimi sıx və dişləri əvvəlki kimi iti deyildi.

O, bunlarla keçinə bilərdi, lakin hər şeydən əlavə onun gözləri və yaddaşı da zəifləməyə başlamışdı. Atlan hesablama problemlərini cavan vaxtlarındakı kimi tez həll edə bilmirdi. Bütün bunlardan kədərlənən Atlan hərdən səhnə arxasında dayanaraq dərin fikrə gedirdi.

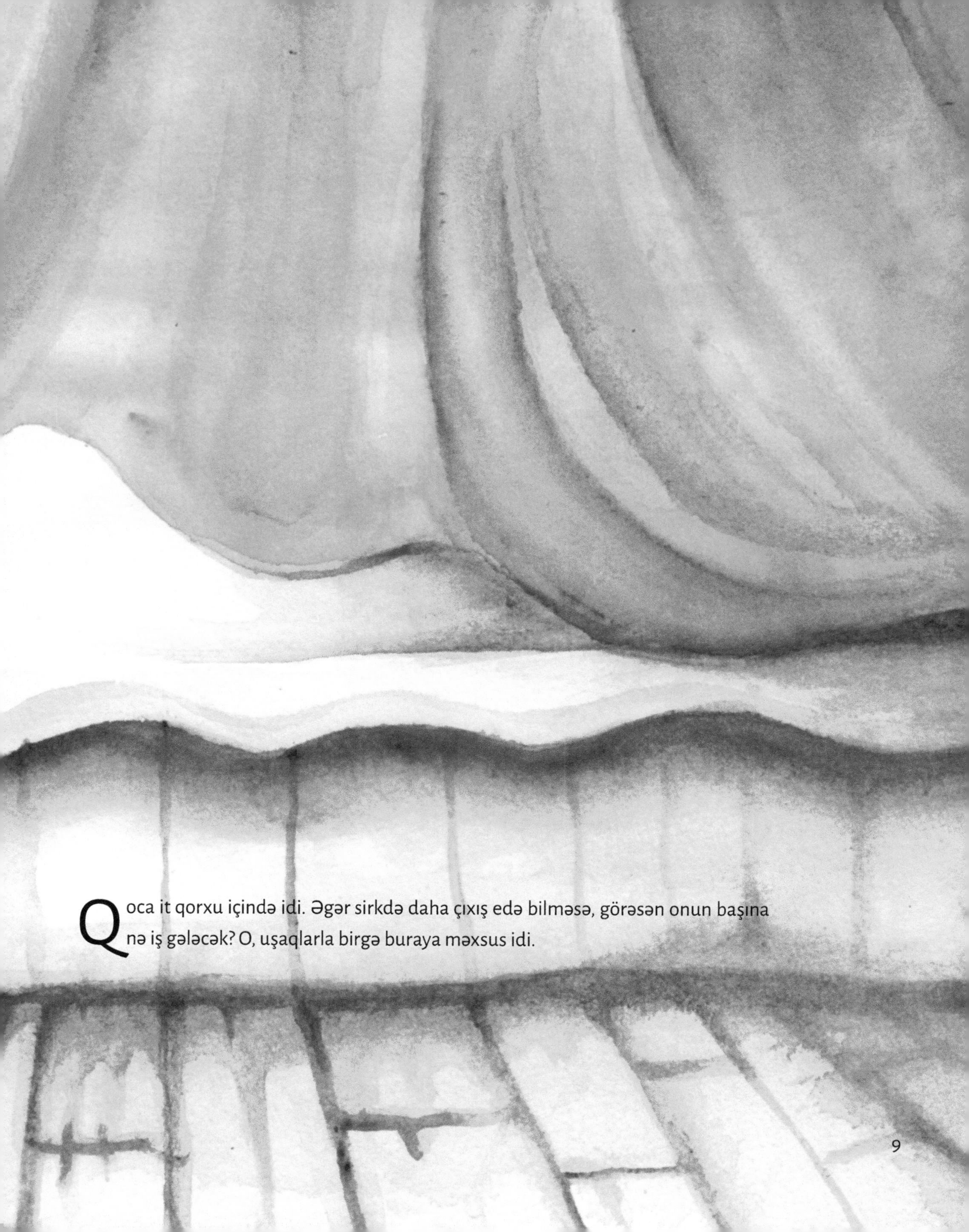

Qoca it qorxu içində idi. Əgər sirkdə daha çıxış edə bilməsə, görəsən onun başına nə iş gələcək? O, uşaqlarla birgə buraya məxsus idi.

Xoşbəxtlikdən Atlanın ona kömək edən balaca və çevik Toplanı var idi. Toplan şoularda gözəl tərəfdaş olmaq üçün çalışırdı. Buna baxmayaraq, cavan Toplan daha təcrübəli tərəfdaşın dəstəyinə ehtiyac duyurdu.

O, təbiətcə tez öyrənən və fəal it idi. Lakin bəzən onun qulaqlarının və quyruğunun vəziyyətindən bilmək olurdu ki, o, kütlənin qarşısına çıxmağa görə həyəcan keçirir. Hər dəfə bu baş verəndə yaşlı və sakit Atlanın köməyi və nəsihəti kara gəlirdi.

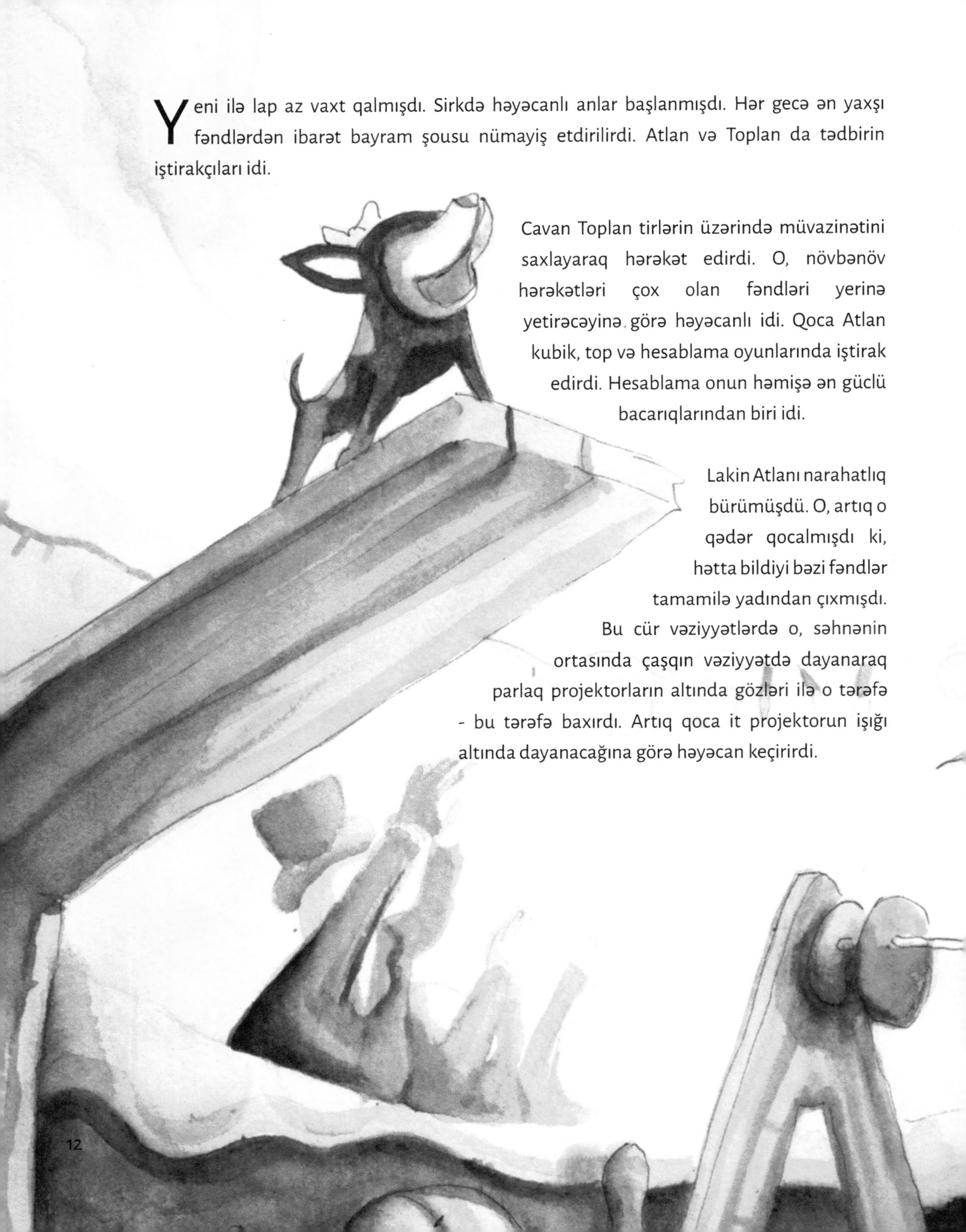

Yeni ilə lap az vaxt qalmışdı. Sirkdə həyəcanlı anlar başlanmışdı. Hər gecə ən yaxşı fəndlərdən ibarət bayram şousu nümayiş etdirilirdi. Atlan və Toplan da tədbirin iştirakçıları idi.

Cavan Toplan tirlərin üzərində müvazinətini saxlayaraq hərəkət edirdi. O, növbənöv hərəkətləri çox olan fəndləri yerinə yetirəcəyinə görə həyəcanlı idi. Qoca Atlan kubik, top və hesablama oyunlarında iştirak edirdi. Hesablama onun həmişə ən güclü bacarıqlarından biri idi.

Lakin Atlanı narahatlıq bürümüşdü. O, artıq o qədər qocalmışdı ki, hətta bildiyi bəzi fəndlər tamamilə yadından çıxmışdı. Bu cür vəziyyətlərdə o, səhnənin ortasında çaşqın vəziyyətdə dayanaraq parlaq projektorların altında gözləri ilə o tərəfə - bu tərəfə baxırdı. Artıq qoca it projektorun işığı altında dayanacağına görə həyəcan keçirirdi.

İndi yenidən Atlanın növbəsidir. O, ötkəm hərəkətlərini və əqli hesablamasını işə saldı. Adətən rəqəmləri həll etmək onun üçün çox asan idi. Lakin sonra olduqca kədərli bir hadisə baş verdi.

İt təlimçisi Atlanın qabağında rəqəmləri sürətlə fırlatdı. O, bir neçəsini asanlıqla həll elədi. Atlan düzgün cavabları hürərək və stenddən düzgün rəqəmləri gətirərək verirdi. Tamaşaçılar onu alqış atəşinə tutmuşdular. Lakin sonra hər şey alt-üst oldu.

Rəqəmlər sürətlə fırlandıqca Atlanın başı hərləndi və düzgün cavabı tapa bilmədi. Sonda Atlan xəcalət çəkərək səhnədən qaçıb getdi və Toplan səhnədə tək qaldı. O, fəndi təkbaşına yerinə yetirməli oldu.

Şou sona çatdı və kütlə sirk çadırını tərk etdi. Qoca Atlan uğursuz çıxışdan sonra gözdən itdi. Toplan dostunu heç yerdə tapa bilmədikdə narahat olmağa başladı.

Nəhayət sirk tamamilə sakitləşdi və sirk ustaları vaqonlarına qayıtdılar. Atlan səhnənin arxasındakı iri sandığın dalında beli bükülü halda dayanmışdı. Onun fikirləri boşaldılmış sirk çadırından daha qara idi.

Balaca Toplan təslim olmaq niyyətində deyildi. O, qoca sirk itini gizləndiyi yerdə tapana qədər ağzında fənər ilə sirkin ətrafında gəzdi.

Toplan dostunu yuvasında istirahət etməyə razı sala bildi. Onlar bütün gecəni orada fənərin işığı altında keçirdilər və Atlanın problemini necə həll etmək barədə götür-qoy etdilər.

"Mən artıq yeni fəndlər öyrənə bilmirəm və hətta əvvəllər öyrəndiklərim də yadımdan çıxıb" - Atlan ah çəkərək dedi.

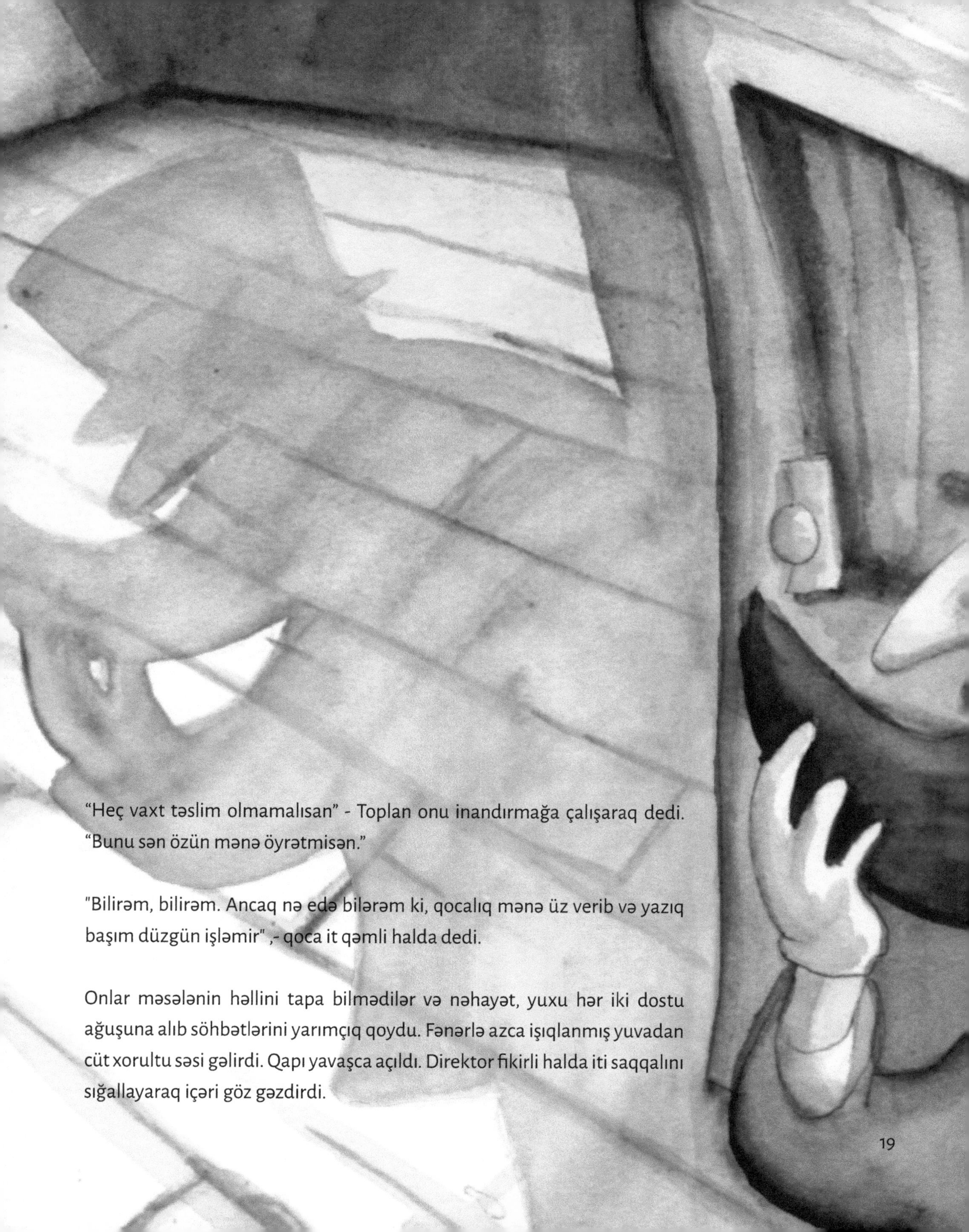

“Heç vaxt təslim olmamalısan” - Toplan onu inandırmağa çalışaraq dedi. “Bunu sən özün mənə öyrətmisən.”

"Bilirəm, bilirəm. Ancaq nə edə bilərəm ki, qocalıq mənə üz verib və yazıq başım düzgün işləmir" ,- qoca it qəmli halda dedi.

Onlar məsələnin həllini tapa bilmədilər və nəhayət, yuxu hər iki dostu ağuşuna alıb söhbətlərini yarımçıq qoydu. Fənərlə azca işıqlanmış yuvadan cüt xorultu səsi gəlirdi. Qapı yavaşca açıldı. Direktor fikirli halda iti saqqalını sığallayaraq içəri göz gəzdirdi.

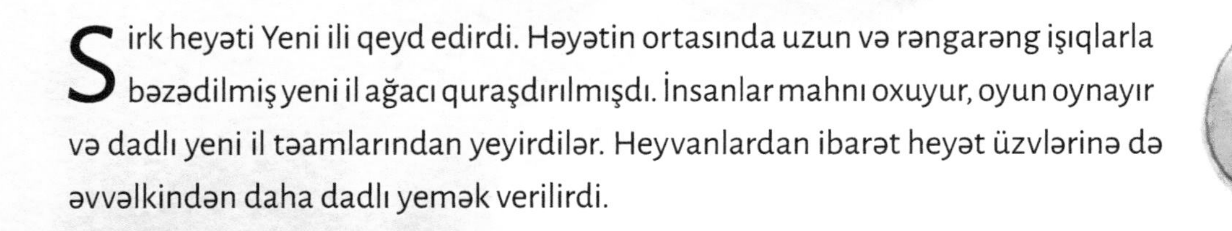

Sirk heyəti Yeni ili qeyd edirdi. Həyətin ortasında uzun və rəngarəng işıqlarla bəzədilmiş yeni il ağacı quraşdırılmışdı. İnsanlar mahnı oxuyur, oyun oynayır və dadlı yeni il təamlarından yeyirdilər. Heyvanlardan ibarət heyət üzvlərinə də əvvəlkindən daha dadlı yemək verilirdi.

Atlanın iştahası tamamilə ölmüşdü. O, təzəlikcə öyrənmişdi ki, bayram mövsümünün son şousunda yeni göstəriş təqdim olunacaq. Toplan ilk dəfə olaraq itlərin çıxışında aparıcı rol oynayacaqdı. Atlan ancaq köməkçi kimi kiçik rolda oynayacaqdı.

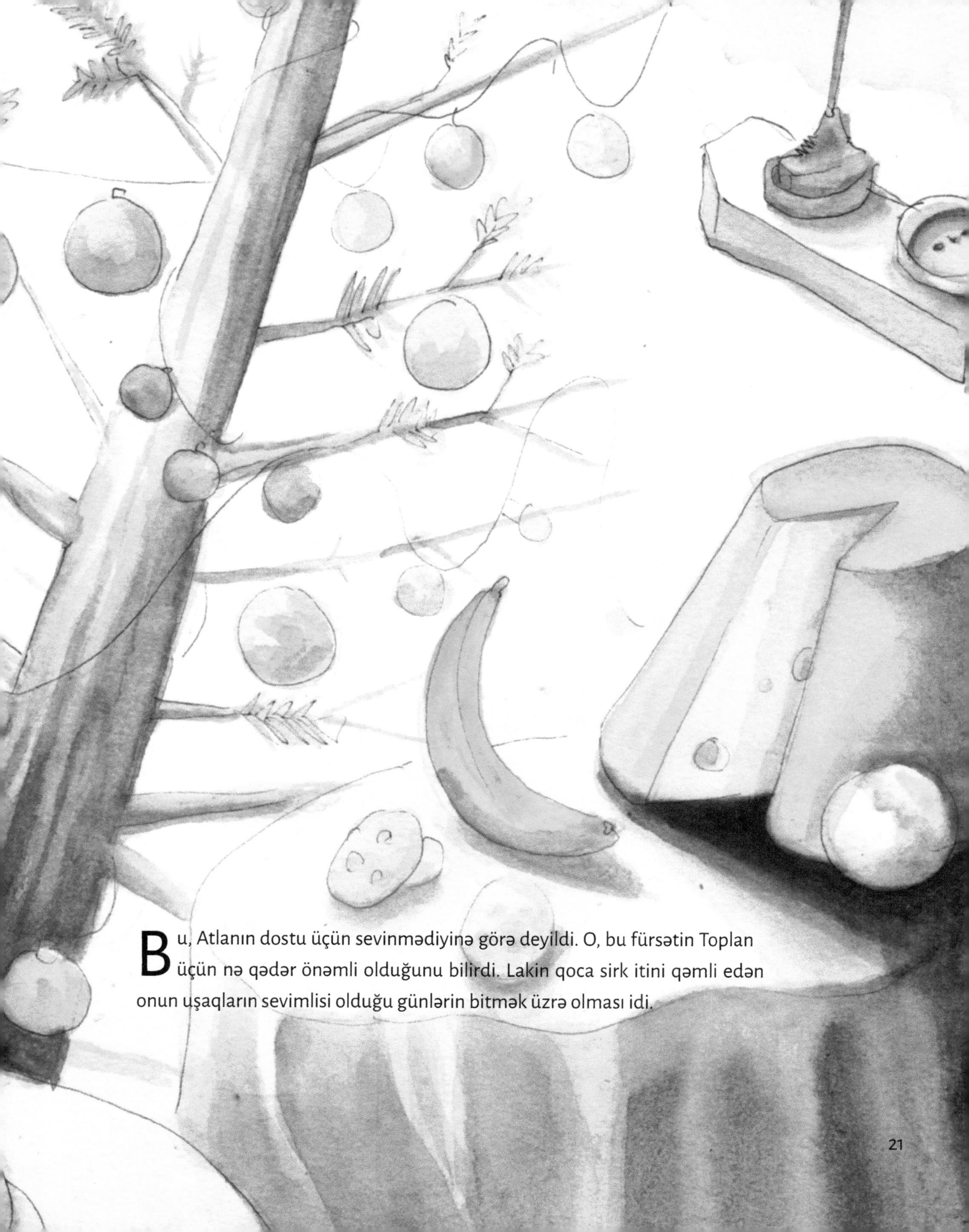

Bu, Atlanın dostu üçün sevinmədiyinə görə deyildi. O, bu fürsətin Toplan üçün nə qədər önəmli olduğunu bilirdi. Lakin qoca sirk itini qəmli edən onun uşaqların sevimlisi olduğu günlərin bitmək üzrə olması idi.

Sirkin bayram şousu əvvəlkindən daha təmtəraqlı idi. Sevinc səsləri havanı bürümüşdü. Uşaqlar həyəcanlı şəkildə şənlənir və əl çalırdırlar. Hətta yaşlılar belə çıxış edənlərin inanılmaz hərəkətlərinə maraqla tamaşa edərək özlərini yenidən cavan kimi hiss edirdilər.

Yeni ulduz Toplan diqqət mərkəzində olmaqdan zövq alırdı. Balaca itin hər dəqiqəsi sevincli idi. Yaşlı Atlan razı halda şagirdinin çıxışına tamaşa edirdi. Toplan sadəcə sevincindən hoppanıb düşürdü. O, səhnədə özünü tapmışdı.

Şou sona yaxınlaşarkən birdən gözlənilməz bir hadisə baş verdi. Bir qadın təlaş içində səhnəyə atılaraq sirkin direktoru ilə danışmaq istədi.

Tamaşaçılar sükuta qərq oldu. Direktor yüngülcə öskürdü və mikrafonu əlinə götürdü:

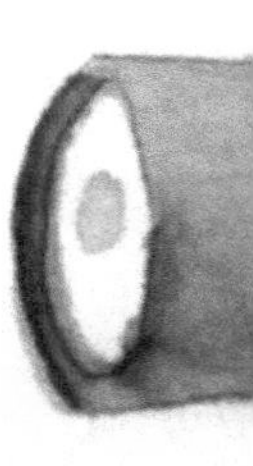

"Əziz dostlar! Bizim indi hər birinizin köməyinə ehtiyacımız var" - o, ciddi şəkildə dedi, - "gördüyünüz bu qadının qızı itkin düşüb. Gəlin hamımız gedib onu axtaraq."

Çadır səs-küy və təlaşla doldu. Tamaşaçılar itkin düşmüş uşağı axtarmaq üçün ətrafa dağılışdılar. Onlar hər tərəfi axtardılar. Əllərindən gələni etdilər, lakin uşaqdan heç bir əsər-əlamət yox idi.

Narahat ana həyəti ələk-vələk etdi və bir neçə dəfə çadırı dövr elədi. Sonda ana göz yaşlarına qərq olaraq uşağının yumşaq oyuncaq dovşanını yanağına sıxdı.

Qoca Atlan sakitcə ağlayan qadına yaxınlaşdı. O, ehtiyatla başını qəmgin ananın dizinə qoydu və bir müddət tərpənmədi. Qadın sakitcə Atlanın belini sığalladı.

Atlan yumşaq, köhnəlmiş oyuncağa baxdı. Şübhə yoxdur ki, bu, uşağın sevimli oyuncağı idi. Oyuncağın üstü hər tərəfdən yırtıq idi və gözünün biri yox idi. Atlanın olduqca həssas burun deşikləri itkin düşmüş uşağın oyuncaqdan gələn qoxusunu aldı.

O, həyəcanlı kütlənin içərisində qətiyyətlə irəliləməyə başladı. Atlan hansı səmtə yönəlməli olduğunu çox yaxşı bilirdi. O, yeri iyləyə-iyləyə irəlilədi. Qoca it irəlilədikcə uşağın qoxusunu sirkdəki digər qoxulardan daha yaxşı hiss etməyə başlayırdı.

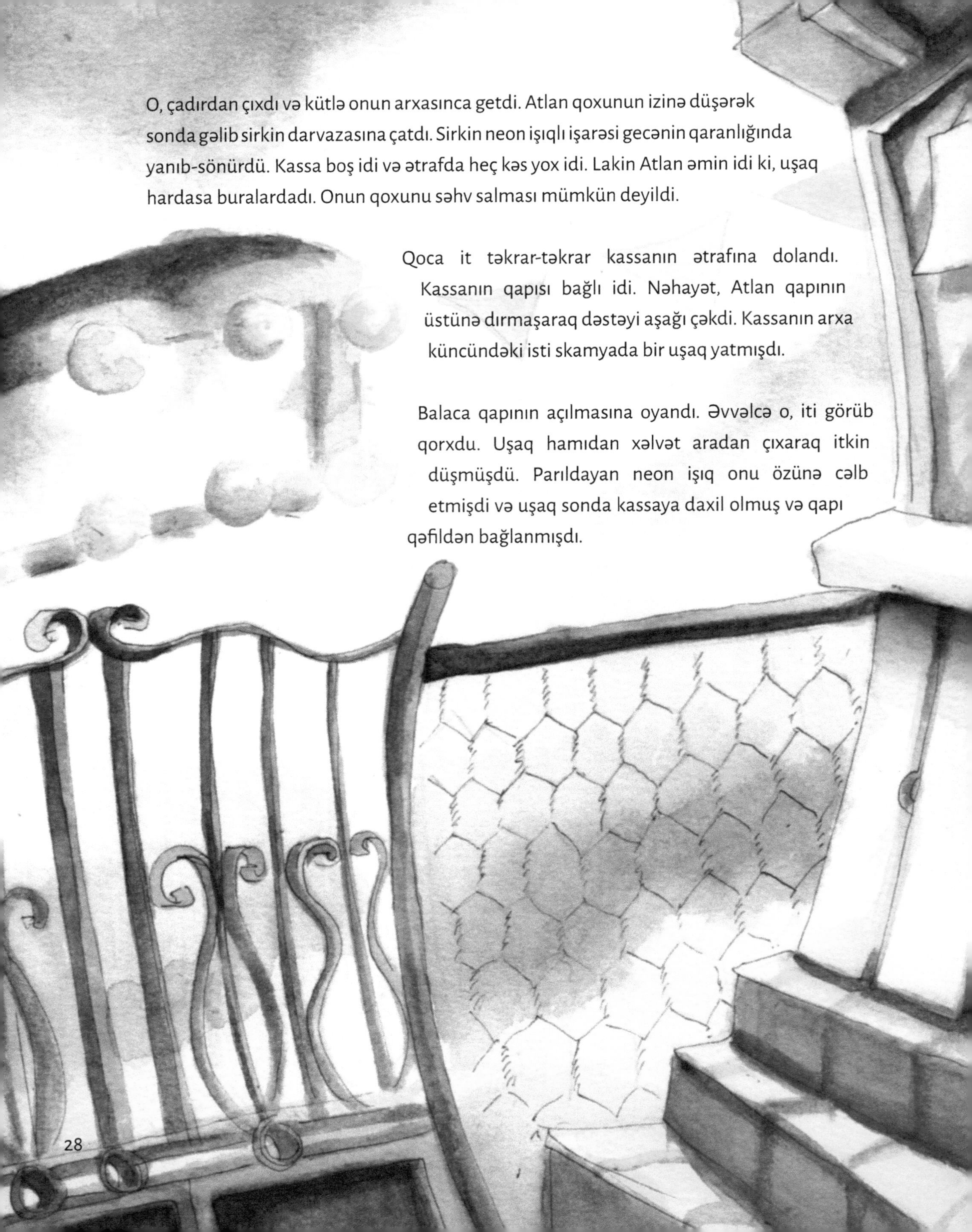

O, çadırdan çıxdı və kütlə onun arxasınca getdi. Atlan qoxunun izinə düşərək sonda gəlib sirkin darvazasına çatdı. Sirkin neon işıqlı işarəsi gecənin qaranlığında yanıb-sönürdü. Kassa boş idi və ətrafda heç kəs yox idi. Lakin Atlan əmin idi ki, uşaq hardasa buralardadı. Onun qoxunu səhv salması mümkün deyildi.

Qoca it təkrar-təkrar kassanın ətrafına dolandı. Kassanın qapısı bağlı idi. Nəhayət, Atlan qapının üstünə dırmaşaraq dəstəyi aşağı çəkdi. Kassanın arxa küncündəki isti skamyada bir uşaq yatmışdı.

Balaca qapının açılmasına oyandı. Əvvəlcə o, iti görüb qorxdu. Uşaq hamıdan xəlvət aradan çıxaraq itkin düşmüşdü. Parıldayan neon işıq onu özünə cəlb etmişdi və uşaq sonda kassaya daxil olmuş və qapı qəfildən bağlanmışdı.

Son dərəcə mehriban olan Atlan uşağı sakitləşdirməyi bacardı. O, biletsatanın qoyub getdiyi paltonu paltar asılqanından götürüb yüngülcə uşağın üzərinə örtdü. Sonra Atlan kənara çəkilərək yüksək səslə hürməyə başladı. O, uşağı axtaran adamların onu görməsinə qədər hürdü.

Darvazaya ilk olaraq ana və direktor çatdı. Ana körpə övladını qucağına alınca sevinc və rahatlıq onu bürüdü. Atlan onlara qıraqdan tamaşa edərək sevinirdi.

"Çox sağ ol, ey sadiq it" - ana Atlanı sığallayaraq dedi. "Sən əsl qəhrəmansan. Bu sirk səninlə fəxr etməlidir."

"Elədir ki, var" - direktor məmnun halda cavab verdi. "Sizi əmin edə bilərəm ki, bizim qəhrəman itimiz Atlanın bu sirkdə həmişə öz yeri olacaq. Uşaqların ona ehtiyacı var."

Atlan və dostu Toplan çox xoşbəxt idi. Onlar sirkin darvazasında yan-yana oturaraq sirki tərk edən camaata tamaşa edirdi.

Tərəfdaşlar sirkdə bir yerdə işləməyə davam edə bildiklərinə görə çox sevinirdilər. Atlan sözsüz ki, oradakı bir çox işdə faydalı ola bilərdi. Bu cür yüksək iybilmə qabiliyyəti ilə o, hər növ əyləncəli tapmacaları çözə və tamaşaçıları təəccübləndirə bilər.

Qocalıq Atlanın görmə qabiliyyətini zəiflətmişdi, lakin onun iybilmə qabiliyyəti əvvəlki kimi güclü idi. Xüsusən də uşağın iyi onun heç vaxt unutmayacağı bir iy idi. Nə qədər yaşlansa belə.

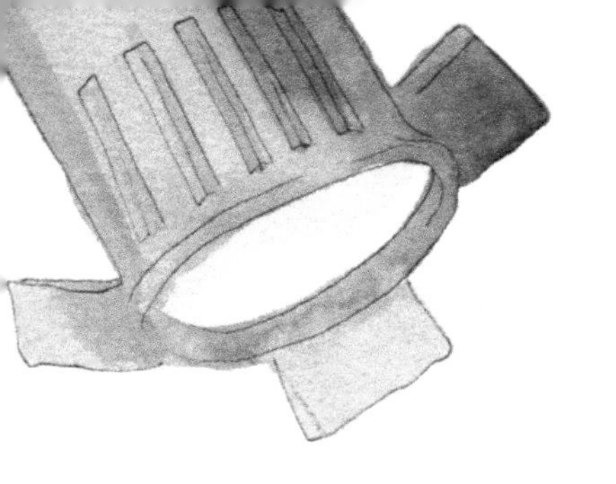

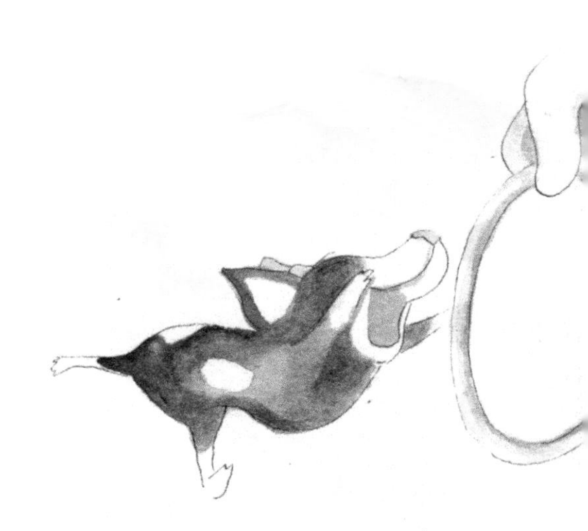

Lightning Source UK Ltd.
Milton Keynes UK
UKHW021049160421
381986UK00002B/69